P9-EER-462

Orso, giochi con me?

FABBRI
EDITORI

Oggi Masha saltella felice lungo un sentiero che attraversa il bosco. Come al solito, la piccola peste è alla ricerca di un amico con cui giocare.

Ma l'autunno è alle porte e gli animaletti non hanno tempo per lei: sono tutti indaffarati a preparare le provviste per la stagione fredda.

A un certo punto, Masha incontra un riccio in cerca di funghi e decide di aiutarlo. La bimba raccoglie un bel fungo rosso con tanti pallini bianchi e lo infilza in uno degli aculei dell'animale. Ecco fatto!

Peccato che il fungo sia velenosissimo! Il riccio, terrorizzato, lo scaraventa lontano e scappa via!

Masha tuttavia non si scoraggia: ci sarà pure qualcuno nel bosco con cui giocare, giusto?

E, infatti, poco dopo sente un rumore provenire da un tronco cavo.

Subito, la bambina s'infila all'interno e ne esce tutta soddisfatta con in mano... una carota!

Ma la carota altro non è che la provvista per l'inverno di un povero coniglietto che, infuriato, esce dal tronco e se la riprende strappandogliela di mano.

Idea!

Se nel bosco nessuno vuole giocare con lei magari potrebbe far visita al suo amico Orso!

Proprio in quel momento, Orso si sta preparando per l'arrivo dell'inverno.

Eccolo mentre porta l'ultima casetta delle api dal giardino al ripostiglio di casa.

Quindi appende una targa fuori dalla porta con su scritto: "Non svegliatemi fino a primavera!".

Poi sale nella sua stanza. Sistema letto e cuscino, e si sdraia pregustando il lungo letargo. Ma d'un tratto...

Squitt, squitt!

A Orso è sembrato di sentire un topolino: deve assolutamente mettere al sicuro le provviste. Adesso che la dispensa è in salvo, Orso può tornare a letto.

Eppure non si sente ancora tranquillo. Ma certo, come ha potuto dimenticarlo? C'è ancora un pericolo da cui mettersi al riparo: i cacciatori!

Orso inchioda tante assi di legno sulla porta e costruisce una botola che si apre se qualcuno cerca di entrare. Finalmente può dormire beato...

No, non è vero! C'è un ultimo pericolo in agguato, il più temibile di tutti: Masha!

La piccola peste potrebbe sgattaiolare in casa e fare un disastro tra le coppe e le medaglie che Orso ha vinto quando faceva l'artista del circo. Orso si precipita giù dalle scale e nasconde in tutta fretta i suoi amati trofei.

Ma non si è accorto che, nel frattempo, quella peste di Masha si è già intrufolata in casa!

Piccola com'è, è riuscita a passare tra le assi che bloccavano la porta e ora se ne sta lì, a guardare l'amico con espressione furbetta.

"Ciao!" lo saluta.

Per lo spavento, il povero Orso fa un balzo e una delle assi della porta gli cade dritta sulla zampa. *Ahi*!

Urlando di dolore, Orso inizia a saltellare e precipita nella botola aperta!

Masha vuole aiutarlo: "Dammi la zampa!" esclama.

Ma Orso non ne vuole sapere, è su tutte le furie!

Quando finalmente riesce a uscire, Orso sale in camera sua, deciso a riprendere il sonno interrotto.

Ma Masha lo segue e gli domanda: “Orso, stai dormendo?”.

Orso non risponde, sperando che prima o poi la bimba si stufi e se ne vada. Niente di più sbagliato!

"Orso, giochi con me? Orso, giochi con me? Orso, giochi con me?" insiste Masha piena di entusiasmo.

Dato che non ottiene risposta, Masha inizia a fargli il solletico sotto le zampe, a tirargli le orecchie, a saltare sul letto... Che tormento!

"Insomma, ti vuoi svegliare?" protesta la piccola peste.

Finalmente Masha si rassegna a giocare da sola e inizia a esplorare la casa alla ricerca di qualcosa da fare.

Curiosando di qua e di là, la bimba finisce nel ripostiglio dove sono sistemate le casette delle api.

Allora prende un bastoncino e, come un direttore d'orchestra, inizia a batterlo sulle casette. *Ta, ta, ta, taaa*!

Svegliate di soprassalto, le api iniziano a ronzare, prima piano, poi sempre più forte finché schizzano fuori, decise a dare una lezione a quella rompiscatole.

Zzz! Zzz! Zzz!

Masha tenta di difendersi con una vecchia scopa, ma le api gliela strappano di mano e la usano per sculacciarla!

Masha corre su per le scale e si rifugia nel letto di Orso, che ben presto si ritrova tutto punzecchiato dagli insetti.

Ahia! Che dolore!

Orso schizza fuori dal letto per sfuggire all'attacco ma, con la testa impigliata nella coperta, è costretto a muoversi alla cieca!

Rotola giù per le scale, travolge tavolo e sedie, va a sbattere contro la porta d'ingresso e... cade di nuovo nella botola!

Soddisfatte, le api tornano nelle loro casette e Orso si rimette a dormire. Ma a un tratto, si sente un brontolio.

"Il mio pancino ha tanta fame!" esclama Masha.

A Orso non rimane altro che trascinarsi fuori dal letto, indossare un grembiule e mettersi ai fornelli.

Ma, mentre si dà da fare, Masha non sta ferma un attimo.

Saltella a destra e a sinistra finché Orso non la chiude per sbaglio dentro il frigorifero.

Aperto lo sportello, la ritrova aggrappata a una salsiccia!

E non è finita lì!

Prima la piccola tenta di rubare il burro, poi lo zucchero e, infine, resta incastrata con la testa dentro una pentola.

Orso ne ha abbastanza! Afferra Masha, le ordina di stare seduta e finalmente ricomincia a cucinare.

Quando prova ad accendere la stufa, però, si accorge di non avere più in tasca la scatola dei fiammiferi.
Orso ha un brutto, anzi, un bruttissimo presentimento.

Si gira e vede... Masha che gioca con un fiammifero!

Glielo strappa subito di mano senza accorgersi che nel frattempo si è acceso!

"Il fiammifero! Il fiammifero!" strilla allora la piccola. Troppo tardi! Il povero Orso si è già scottato la zampa!

Esasperato, la mette in castigo e torna ai fornelli.

"Ah, finalmente si mangia!" esclama la piccola.

Ma una volta sulla sedia, scopre di non riuscire ad arrivare al tavolo!

Allora Orso prende dei libri, li impila sulla sedia e sopra ci mette a sedere Masha.

Sì, ora va decisamente meglio!

"Il mio pancino si riempirà di pappa. Evviva!" strilla Masha. "Pappa, pappa..." continua la piccola, che però è così sfinita da addormentarsi con la testa nel piatto!

Orso sospira, rassegnato: ha interrotto il suo letargo per niente! Ma poi, vedendo il faccino di Masha che ora dorme come un angioletto, si intenerisce.

La prende in braccio e la mette a nanna nel suo letto, rimboccandole bene le coperte.

Lui, però, ormai non ha più sonno.

Così si affaccia alla finestra: è notte fonda e in cima alla collina un lupo ulula alla luna.

Orso lo raggiunge, si siede accanto a lui e gli offre di dividere il piatto appena preparato.

È stata una giornata faticosa e ora non gli sembra vero di potersi gustare una cenetta in santa pace!

www.mashabear.com
Serie creata da: Oleg Kuzovkov.
Art Director: Ilya Trusov.

Pubblicato nel 2014 da Egmont Balloon

Traduzione e editing: La Fabbrica delle Idee, Milano

Prima edizione Fabbri Editori: marzo 2015

ISBN 978-88-915-1537-7

Finito di stampare nel mese di marzo 2015
presso Centro Poligrafico Milano s.p.a., Casarile (MI)

Printed in Italy